捣蛋猫爱编程

什么是编程语言和语法

〔美〕布赖恩·P. 克利里◎著　〔加〕马丁·戈诺◎绘　何　晶◎译

北京科学技术出版社

计算机是能够处理信息的设备，

这些信息也叫数据，包括数字、字符和事实等。

手表、手机、汽车

和微波炉里都有计算机。

自动取款机

和平板电脑里也有计算机。

编程就是写代码的过程。

代码是计算机可以理解的一组指令。

计算机能够根据指令完成特定的任务。

例如，计算机可以告诉我们天气状况，

让我们玩游戏，

或者完成 1000 件我们想让它做的事情。

可是这些代码是从哪里来的呢？
是谁写的？是如何写出来的？
while
then
if
?!
else
loop
for
这些代码是人写的，
你也可以！
I WANT YOU TO CODE!
计算机
实验室

代码可以用来开发新软件、应用程序或创建网站，

你可以通过代码给计算机下达指令。

正如人们会说阿拉伯语或西班牙语等不同的**语言**一样，

程序员也会使用不同的**编程语言**，

比如 **Java**、**Alice**、**Python**、

Ruby、**Scratch** 和 **C++**

来和计算机进行沟通。

欣茨老师的课堂上
使用的语言
英语
汉语
西班牙语
手语
Java
C++
Lua
Python

究竟使用哪种**编程语言**，

由程序员开发的内容决定。

例如，是要开发一个教你跳舞或帮你写歌的应用程序，

还是创建一个介绍比萨做法的网站。

Lua 语言被用来开发了很多经典的游戏，

比如《星球大战：前线》和《愤怒的小鸟》。

Python、Java 和 C++

经常被最聪明的极客程序员

用于开发应用程序。

语法是个花哨的说法，

指以某种规律排列单词和短语。

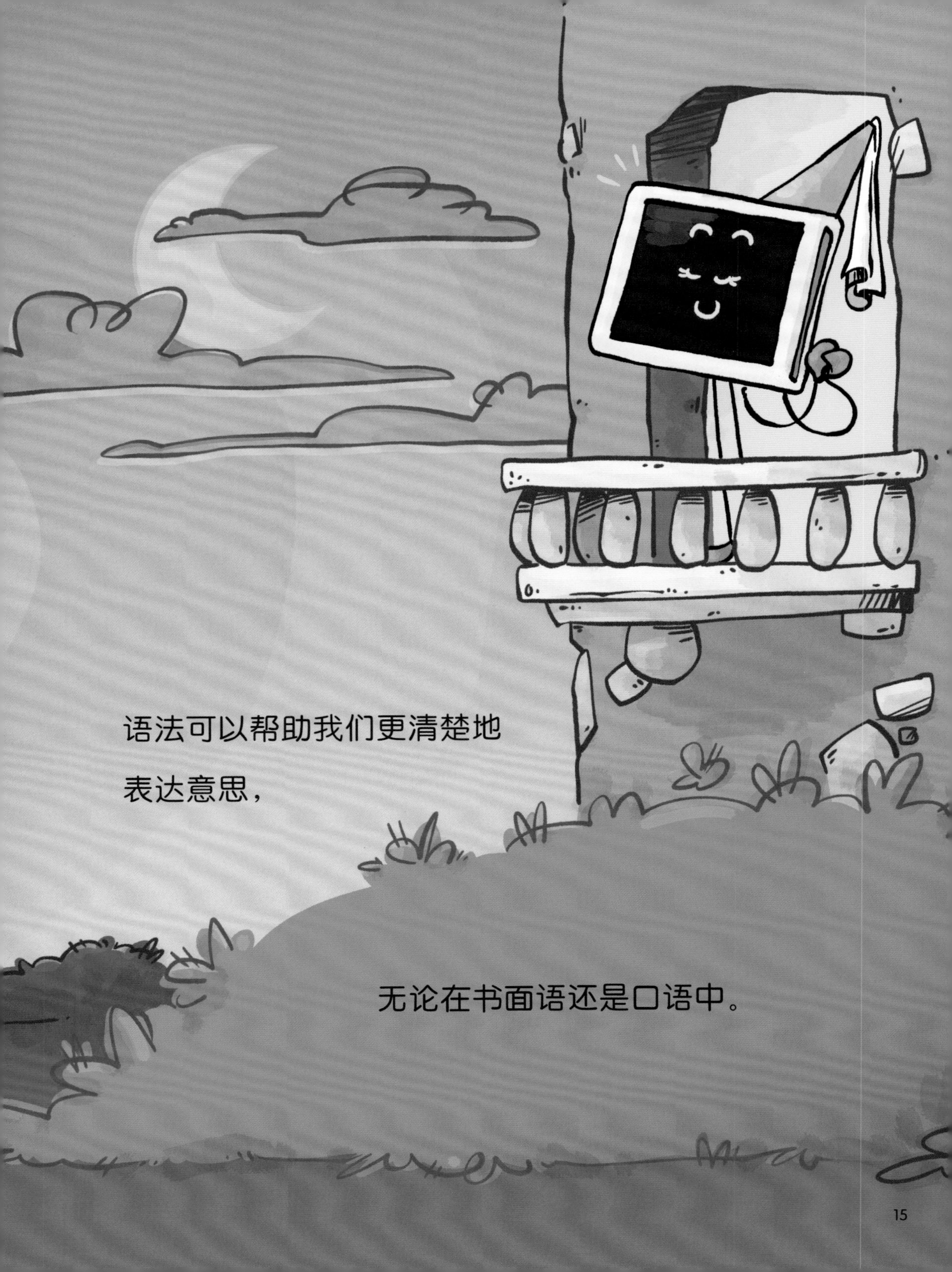

语法可以帮助我们更清楚地

表达意思，

无论在书面语还是口语中。

"Josh ate almost all the candy."和
"Josh almost ate all the candy."
表达的意思不一样。

同样的 6 个单词，

按照不同的顺序排列，

意思截然不同。

编程时语法正确也很重要。

单词和标点的顺序能帮我们实现想要的结果，

同时避免混乱。

捣蛋猫要表达下面这个简单的想法，

不同的编程语言有不同的表达方式。

也许只需要一点儿小小的帮助，

你就可以尝试一下，

用学到的东西找些乐子。

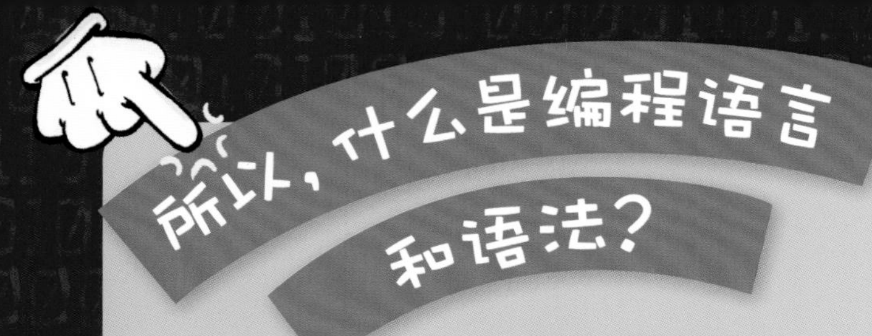

你知道了吗？

编程很有趣。最重要的是，任何人都可以编程。你只需有一台计算机或平板电脑，能连上网，并愿意尝试即可。

前面说过，计算机代码可以用很多种编程语言来写。你可以先选择一种编程语言，适应以后再尝试其他的编程语言。不同的编程语言有不同的用途。

下面是一些常用的编程语言：

- Scratch
- Hopscotch
- Alice
- Python
- Ruby
- Java
- Lua
- C++

每种编程语言都有其组织指令的规则，也就是语法。使用模块编程的语言（比如 Scratch 和 Alice），语法比较简单，只需拖拽代码块就能写出程序。

你可以从简单的程序开始写起，熟练之后再写更长、更复杂的程序。初学的时候不要担心犯错。练习得越多，就会觉得越容易。

想学习更多编程知识？

看看下面的资源

Liukas, Linda. *Hello, Ruby: Adventures in Coding*. New York: Feiwel and Friends, 2015.
这本针对编程新手的绘本介绍了编程思维的基础知识。例如，将大问题分解为许多小问题、找到规律以及创建分步计划等。

Loya, Allyssa. *Disney Coding Adventures: First Steps for Kid Coders*. Minneapolis: Lerner Publications, 2019.
有趣的迪士尼卡通人物向小小程序员们介绍算法、漏洞、循环语句和条件语句等基本概念。贯穿全书的实践活动更是为这本书增添了很多乐趣。

Robinson, Fiona. *Ada's Ideas: The Story of Ada Lovelace, the World's First Computer Programmer*. New York: Abrams Books for Young Readers, 2016.
这本传记绘本介绍了计算机领域的开拓者埃达·拜伦·洛夫莱斯。她喜欢数学和科学，编写了世界上第一个计算机程序——甚至在电子计算机问世之前。

网站和应用程序

Code.org
https://code.org
该网站为编程初学者提供了大量资源，包括供学生和老师使用的资源。你可以在“项目”页签查看其他孩子已完成的项目，并查看这些项目的代码。

Scratch Jr.
https://www.scratchjr.org
这种简单的、基于模块的编程语言是专门为没有编程经验的小学低年级学生设计的，它可以在 iPad 和安卓平板电脑上运行。

作者和绘者介绍

布赖恩·P.克利里是“捣蛋猫”系列绘本、“自然拼读”系列绘本、“诗歌冒险”系列绘本等畅销童书的作者。克利里还著有《哐当哐当》《哼哼唧唧》《拟声词的故事》《太阳在玩捉迷藏——拟人的故事》等。现居美国俄亥俄州克利夫兰市。

马丁·戈诺是一名资深绘本插画师，为很多绘本创作过插画，“捣蛋猫”系列绘本中很多插图都出自马丁之手。业余时间，马丁是电子游戏和编程爱好者。马丁现在和他的妻子以及两个可爱的儿子居住在加拿大魁北克省三河市。

感谢技术专家迈克尔·米勒对本书的文字和图画进行审校。

著作权合同登记号　图字：01-2019-2057

图书在版编目(CIP)数据

什么是编程语言和语法 / (美) 布赖恩·P. 克利里著；(加) 马丁·戈诺绘；何晶译. —北京：北京科学技术出版社，2020.5
（捣蛋猫爱编程）
书名原文：This Python Isn't a Snake
ISBN 978-7-5304-9127-0

Ⅰ. ①什… Ⅱ. ①布… ②马… ③何… Ⅲ. ①程序设计-少儿读物 Ⅳ. ①TP311.1-49

中国版本图书馆CIP数据核字(2020)第048826号

什么是编程语言和语法（捣蛋猫爱编程）

作　　者：〔美〕布赖恩·P.克利里
绘　　者：〔加〕马丁·戈诺
译　　者：何　晶
策划编辑：石　婧
责任编辑：樊川燕
责任印制：张　良
出 版 人：曾庆宇
出版发行：北京科学技术出版社
社　　址：北京西直门南大街16号
邮政编码：100035
电话传真：0086-10-66135495（总编室）
0086-10-66113227（发行部）
0086-10-66161952（发行部传真）
电子信箱：bjkj@bjkjpress.com
网　　址：www.bkydw.cn
经　　销：新华书店
印　　刷：北京宝隆世纪印刷有限公司
开　　本：710mm × 1000mm　1/16
印　　张：1.5
版　　次：2020年5月第1版
印　　次：2020年5月第1次印刷
ISBN 978-7-5304-9127-0 / T · 1050

定价：20.00元